纸上魔方 著

北方妇女儿童出版社
长春

图书在版编目（CIP）数据

新年换新装：周长 / 纸上魔方著．— 长春：北方妇女儿童出版社，2014.4（2024.3 重印）
（我超喜爱的趣味数学故事书）
ISBN 978-7-5385-8182-9

Ⅰ．①新… Ⅱ．①纸… Ⅲ．①数学—儿童读物 Ⅳ．①O1-49

中国版本图书馆 CIP 数据核字 (2014) 第 049761 号

新年换新装·周长

XINNIAN HUAN XINZHUANG · ZHOUCHANG

出 版 人　师晓晖
策 划 人　师晓晖
责任编辑　张　丹
插画绘制　纸上魔方
开　　本　889mm × 1194mm　1/16
印　　张　2.5
字　　数　20 千字
版　　次　2014 年 4 月第 1 版
印　　次　2024 年 3 月第 10 次印刷
印　　刷　吉林省信诚印刷有限公司
出　　版　北方妇女儿童出版社
发　　行　北方妇女儿童出版社
地　　址　长春市福祉大路5788号
电　　话　总编办：0431-81629600　　发行科：0431-81629633

定　　价　19.80 元

数学就是这样有趣

数学有什么用？为什么学数学？对于许多小朋友来说，数学不仅是一门比较吃力的功课，枯燥、乏味的运算更让孩子心生畏惧。而数学原本就是一门来源于生活的科学。孩子们日常生活中的小细节、小故事，都蕴藏着丰富的数学知识，只要你稍加留心，就会发现无处不在的数学规律。

《我超喜爱的趣味数学故事书》正是抓住了这一规律，通过讲故事、做游戏，激发起孩子学习数学的兴趣。把抽象枯燥的数学知识，转化成看得见、用得到的生活常识，让孩子们通过故事与漫画，更加直观而轻松地认识数学、爱上数学。全书更重在培养孩子解决问题的思考方法，提高孩子逻辑思维能力和综合素质。

与此同时，编者还巧妙地将数学知识穿插在故事当中，这些入门知识的反复出现，更有利于孩子们加深记忆，掌握学习数学的技巧。

更值得一提的是，这套《我超喜爱的趣味数学故事书》还真正为父母们提供了一个和孩子共同学习的机会。在每一本分册的末尾，都有编者精心设计的互动园地。在这一板块中，父母可以更直观地看到书中所讲述的知识点，了解孩子的学习进度，结合实际应用，帮助孩子们进一步理解数学的意义，掌握数学知识。

相信这套《我超喜爱的趣味数学故事书》，一定会让孩子们认识到数学之美，轻轻松松爱上数学，学好数学！

由于编者水平有限，这套书中一定还有不足之处，敬请广大读者不吝赐教，为我们提出宝贵意见。

“铃铃铃……”下课铃响了。

“孩子们，我们要订做新的运动服了，别忘了明天把你们的腰围、身长告诉我。”

“再见，老师。”

回到家里，吉米开始犯难了，身长就是身高，可是腰围呢，应该是腰部的周长吧，他知道长方形、正方形、三角形的周长应该怎么算，然而从来也没有人告诉他，圆形的周长应该怎么算啊！

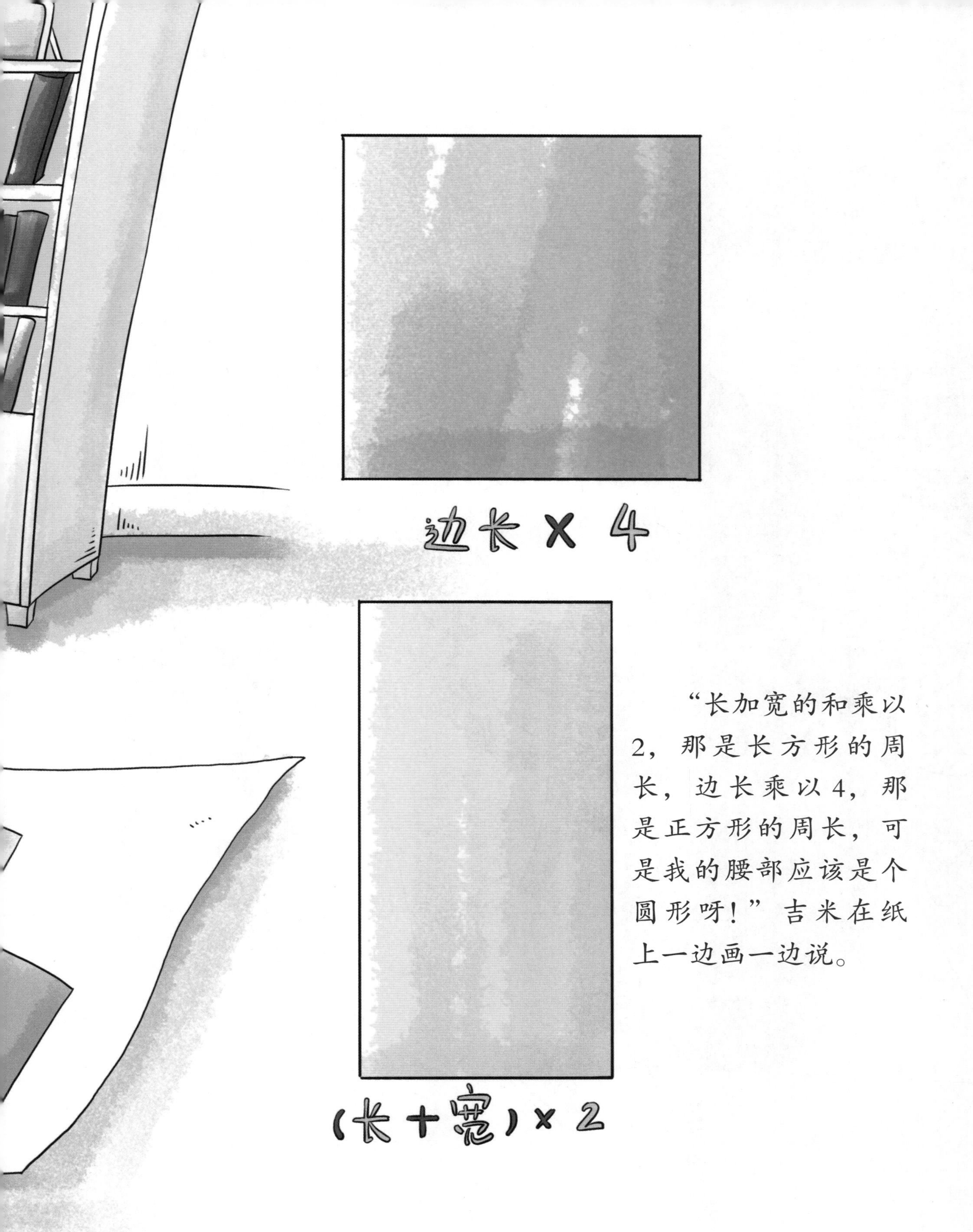

“长加宽的和乘以2，那是长方形的周长，边长乘以4，那是正方形的周长，可是我的腰部应该是个圆形呀！”吉米在纸上一边画一边说。

“吉米，你在干什么呢？快来吃晚饭。”

“就来了，妈妈。”说完，吉米一溜烟地跑到了客厅里。

“妈妈，我的腰围应该怎么算啊？”吉米一边吃着香喷喷的咖喱饭一边说。

“傻孩子，腰围可以直接量出来，抽屉里有软尺，你直接把尺子在你的腰上围上一圈，不就知道你的腰围了。”妈妈笑着说。

第二天，吉米和同学们把自己的腰围、身长告诉了老师，新年来临的时候，他们终于拿到了新的运动服。

“新年了，我们有新衣服了，我也想给我的玩具和宠物们换新衣服。”放学路上，珍妮抱着自己的新衣服，一边走一边和吉米、凯尔说。

“是啊，我的‘超人’也需要穿暖和一点儿。”凯尔也附和着说。‘超人’是他心爱的小狗。

“这个周末，来我家吧，给你的超人，还有我家里的宝贝做新衣服。”珍妮说着开心地跑回了家。

星期六，吉米、凯尔来到了珍妮的家里。

“哇，超人已经这么大了？你打算给它做什么？”珍妮逗着毛茸茸的超人说。

“我想给它做一件斗篷，那样看起来多威风！”凯尔说。

“很简单啊，用软尺量一下，就知道超人脖子的周长了，再知道它的身长就好了，你看，刚好 50 厘米。”吉米把超人放在自己腿上，掏出了自己从家里带来的软尺，量出了结果。

“接下来该我了，我要给我的汽车模型贴上装饰花边，你们看，挡风玻璃是一个长方形，长有10厘米，宽有6厘米。这样算下来它的周长就是32厘米，还好我有足够多的花边贴纸。”说着，吉米量出了贴纸的长度，开始装饰他的汽车模型。

“吉米，这个真漂亮，给我用用行不行？”珍妮问。

“你要干吗，你打算用这个给你的布娃娃贴出一身衣服来吗？这是不可能的。”凯尔说。

“谁说的，我想把它贴在我的镜子上！”说着，珍妮找来一把长尺去测量镜子，“你们看，我的镜子每条边都是 40 厘米。”

“珍妮，你的镜子周长是160厘米，我的贴纸可没这么多啊！”吉米摇摇头说。

“那就没办法了。我还是装饰下我的笔筒吧。”说完，珍妮从桌子上抓起了自己的笔筒。

“别这么小气，珍妮，你的笔筒外面的颜色都磨没了，该换新的了。”凯尔一边摆弄着超人一边说。

“才不是小气，这个笔筒是爷爷留给我的，我要好好保留，你看，我都准备好彩纸了，只要在外面围上一圈就好了。”珍妮说。

“哦，那你要量一下这个笔筒吗？我这里有软尺。”吉米说。

“我早就量好了，这个笔筒前后两面长 8 厘米，左右两面宽 5 厘米，围上一圈就需要 26 厘米的彩纸，你们看，蓝色的很漂亮吧！”说着，珍妮开始动手裁剪纸张。

一个上午的时间就这样过去了。吉米、珍妮和凯尔看着自己的作品都很满意。

“其实我觉得我们还可以给这个房子也换上新衣服。”吉米异想天开地说。

“给房子换衣服？这不太可能吧！”珍妮说。

“是啊，我们可找不到这么大、这么长的贴纸。”凯尔说。

“不用贴纸啊，很简单，你看，我们可以在房子的四周种上一圈玫瑰花，等到夏天的时候，整个院子都是花香。还有，你们看院子里的邮箱，我们也可以缠上一圈彩灯，到晚上的时候，也会很漂亮。”吉米兴高采烈地想象着装饰好的新家。

“我最喜欢玫瑰花了！我需要让爸爸准备多少？还有缠在邮箱上的彩灯？”珍妮问。

“这个我也不知道，不过我们可以先量出来房子和邮箱的周长。”吉米说。

“这么说来，我觉得我的家也可以换个新装！”凯尔也高兴了起来。

“看，这个房子，从东边到西边有50米呢，从北边到南边也有30米。”珍妮说。

“哦，那这样算下来，房子的周长就是 160 米。”吉米很快算出了答案。

“你们看，这个邮筒，上面是圆形的，我量了一下，有3米长。下面的底座是正方形的，每条边有60厘米。这就是240厘米，你的彩灯要放在哪儿？”凯尔说。

“等会儿我得问问爸爸，凯尔，你的家也要弄成这样吗？吉米呢？”珍妮关心地问。

“我家有花坛，里面种满了花，不过我可以跟爸爸说，重新换一下花坛四周的矮墙，2 米长，1 米宽，新的围墙就要有 6 米，我喜欢那种棕色的篱笆墙。”凯尔一边说，一边在地上写写画画。

“我家的房子，爸爸妈妈已经在布置了，不过我想在房顶挂上一圈彩灯。我家的屋顶是三角形的，我问过爸爸，两侧的两条边，都是 40 米，最下面的底边有 60 米长，一共有 140 米的距离需要安装上彩灯。”吉米对自己家的房子早就有了安排。

“这个新年真好，我们有新衣服。”珍妮说。

“超人、吉米的汽车、珍妮的笔筒也都不一样了。”凯尔说。

“没错，我们的家也会换上新装的。你们看，下雪了，新年真的要来了”吉米说。

测试题

1. 一个边长是10厘米的正方形手帕，它的周长是
____

2. 这个长方形的周长是 ________________

4 厘米

3. 三角形的三条边，长度分别是6厘米，6厘米和3厘米，它的周长是 ________

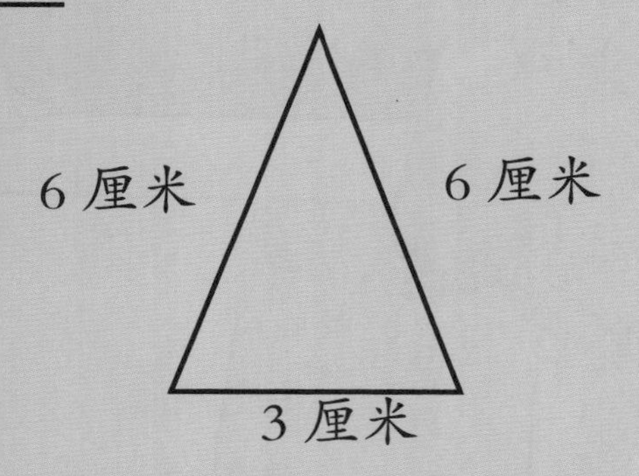

4. 量一量，你手中的这本书，周长是 ____________

周 长

这是关于周长的小故事

那如果再加上直径等于3厘米的圆形呢？
还是正方形！

边长分别是5厘米和3厘米的长方形铁丝框，改成正方形铁丝框，它的周长会变吗？
当然不会，只要你不把铁丝弄短了。

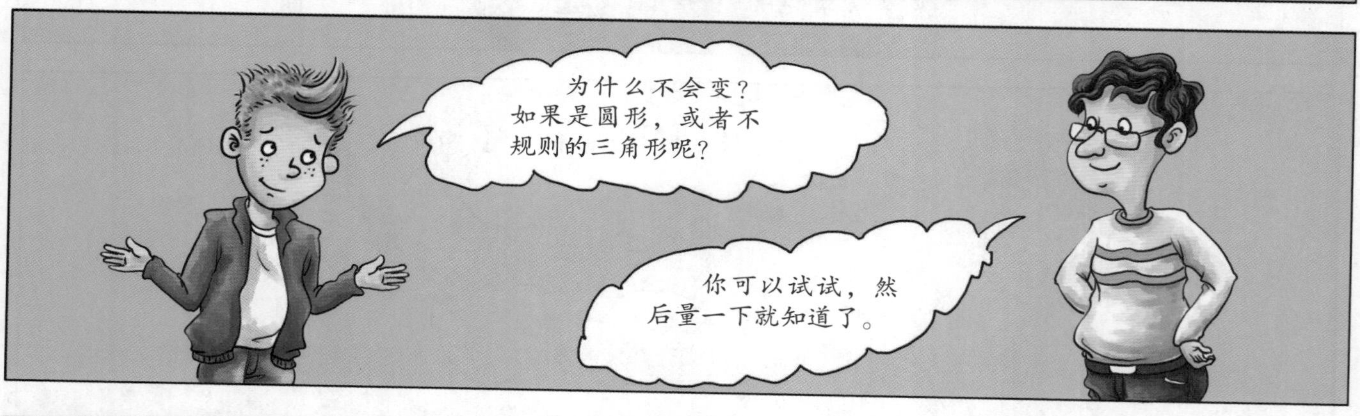
为什么不会变？如果是圆形，或者不规则的三角形呢？
你可以试试，然后量一下就知道了。

看来，有些图形的形状虽然不同，但周长却可能相同。
是的呢，只要是这一根铁丝围成的形状，它们的周长都相同。